Courir
avec des ailes de géant

Du même auteur, dans la même collection :

L'agenda
Amies sans frontières
Les chevaux n'ont pas d'ombre
Un chien contre les loups
Rom, Roman, Romane

Hélène Montardre

Illustrations de Yann Tisseron

Courir
avec des ailes de géant

RAGEOT

Cet ouvrage a été imprimé sur un papier
issu de forêts gérées durablement,
de sources contrôlées.

Couverture : Yann Tisseron.

ISBN : 978-2-7002-3962-1
ISSN : 1951-5758

J'avais 8 ans quand j'ai commencé à courir.

Je veux dire, courir pour de bon.

C'est quand papa a décidé que Tom, mon petit frère, était assez grand pour venir avec nous.

Nous, c'était Billy, papa et moi.

Billy est mon frère aîné. Quand j'avais 8 ans, il en avait 11, et papa 35.

Papa adorait courir. Il courait tous les jours. Il racontait souvent comment il avait commencé quand il était gamin et qu'il vivait à la ferme avec gran'pa Joey. La ferme était immense et il fallait toujours aller dans un endroit ou un autre.

En marchant, cela prenait beaucoup de temps; alors papa courait.

Peu à peu, il s'est aperçu qu'il aimait ça et il s'est mis à courir même quand il n'avait rien d'urgent à faire à l'autre bout de la ferme. Puis il s'est inscrit dans un club et il a participé à des compétitions. Mais à l'époque dont je parle, il courait seulement pour se détendre, pour se changer les idées, comme il le prétendait; et aussi, certainement, pour passer du temps avec nous.

Parfois, je me dis que courir était comme une drogue pour lui. En tout cas, durant les années où nous avons vécu ensemble et aussi loin que remontent mes souvenirs, chaque jour je l'ai vu enfiler un short ou un jogging, chausser ses baskets, ouvrir la porte pour regarder le ciel et humer le vent avec gourmandise, prêt à s'élancer vers l'extérieur.

Clovelly

Nous habitions Sydney, dans un quartier qui s'appelle Clovelly.

La mer était tout près. Il suffisait de remonter Warner Avenue pour déboucher sur Burrows Park, et l'océan était là, avec ses longues vagues qui se fracassaient sur les rochers au pied de la falaise.

Papa respirait à pleins poumons et je sais à quoi il pensait. Les vagues venaient de si loin !

Certaines, les plus violentes, arrivaient droit de l'Antarctique, et une bouffée d'air glacé montait vers nous quand elles s'écrasaient à grand bruit. D'autres étaient nées sous les tropiques et elles s'allongeaient jusqu'à nous, bruissantes d'une écume blanche et légère.

Mais quelle que soit leur provenance, la côte de l'Australie était le premier obstacle qu'elles rencontraient depuis le début de leur voyage, et nous étions là pour les voir se battre avec cette terre ; nous, papa, Billy, Tom et moi.

Billy n'aimait pas vraiment courir.

Il voulait juste faire plaisir à papa et, quand Tom a commencé à nous accompagner, ça l'a bien arrangé.

Lui et moi avons immédiatement compris que ça ne serait pas facile. Tom n'aimait pas courir du tout et ça lui était bien égal de faire, ou pas, plaisir à papa.

Papa, lui, n'a pas compris ; ou alors, il n'a pas voulu comprendre. Il devait penser que c'était une question de temps et que Tom finirait par se prendre au jeu, car il s'est montré d'une infinie patience.

Tom trouvait toujours une excuse pour s'arrêter.

– Pa ! J'ai un caillou dans ma chaussure ! criait-il en pilant net.

Papa s'arrêtait, lui ôtait sa basket et la secouait consciencieusement avant de la lui remettre.

« C'est toujours cinq minutes de gagné », pouvais-je lire dans les yeux de mon petit frère.

– Pa ! J'ai soif !

– Pa ! J'en peux plus, là…

– Pa ! Si on faisait une pause ?

Le répertoire de mon petit frère était inépuisable et Billy et moi étions franchement étonnés d'une telle inventivité.

Quand nous n'étions pas à l'arrêt, c'était pire encore. Tom courait si lentement que nous piétinions sur place.

C'est comme ça que tout a commencé.

Papa, Billy, Tom et moi

Après avoir quitté la maison, nous trottinions jusqu'à Burrows Park, puis nous partions vers la gauche en longeant les terrains de jeux de boules.

Un peu plus loin, la piste s'engageait sur une série de passerelles accrochées à la falaise au-dessus de la mer. J'adorais cet endroit. Il me donnait le sentiment que je pouvais courir à l'infini, sans devoir revenir sur mes pas, sans sentir la fatigue dans mes jambes ni mon souffle s'épuiser. Mes baskets rebondissaient sur les lattes qui vibraient juste ce qu'il fallait sous mon poids. Au bout de chaque passerelle, je filais sur la terre du sentier et, en quelques foulées, gagnais la passerelle suivante. Des dizaines de mètres en contrebas, la mer rugissait, tandis qu'au-dessus de ma tête d'immenses oiseaux blancs criaient.

Puis, dans mon dos, la voix de mon père appelait :

– Glenn ! Attends-nous...

Je faisais demi-tour sans ralentir et revenais vers eux.

Tom courait aussi lentement que possible, tapant sur le sol à chaque foulée pour être encore plus lent, et soufflant aussi fort qu'un phoque pour bien montrer à quel point il était déjà épuisé.

Mon père le suivait. Il était grand, mince, élancé. Il sautillait sur place, bras repliés à hauteur de poitrine. Dans ces moments-là, avec ses longues jambes nerveuses, il ressemblait plus à un boxeur en train de s'échauffer qu'à un coureur de fond. Il se contenait, pour rester avec Tom et l'encourager.

Billy venait tranquillement derrière. Il courait à peine. Il attendait juste que cela se termine et que nous rentrions à la maison.

Moi, j'étais comme un jeune chien fou.

C'est ce que disait papa :

– Glenn, arrête de faire des allers-retours ! On croirait voir Pixie.

Pixie, c'était le setter des voisins. Lui, à la course, il était imbattable.

15

Moi, les allers-retours, je ne pouvais pas m'en empêcher. Dès que je me trouvais à la hauteur de Tom, papa et Billy, je faisais à nouveau demi-tour et repartais en avant-garde, le nez au vent, ivre de cet espace qui s'ouvrait devant moi, jusqu'à ce que la voix de papa me rappelle à nouveau à l'ordre :

– Glenn ! Attends-nous…

Avec toutes mes allées et venues, j'accomplissais le trajet deux fois, trois fois, quatre fois…

– Arrête, Glenn, disait papa. Tu vas t'épuiser, tu ne pourras pas rentrer.

Bien sûr que si, je pouvais rentrer ! Et j'étais loin d'être épuisé.

Au contraire.

Plus je courais, plus je sentais la vie monter en moi. J'aurais pu courir des jours et des jours, jusqu'au bout de l'Australie, jusqu'à... Je ne parvenais pas à imaginer ce qu'il y avait au bout de l'Australie.

J'avais 8 ans.

Waverley

Dans le quartier, nous étions connus.

– Tiens, voilà Jimmy et ses garçons, disaient les gens en nous regardant passer.

Et ils nous saluaient :

– Salut Jimmy ! Salut, Billy ! Salut, Glenn ! Salut, Tom !

Nous répondions d'un petit signe de tête ou, si nous connaissions vraiment bien la personne, nous lancions :

– Bonjour, madame Parker !

Ou encore :

– Bonjour, monsieur Shepherd !

Clovelly était comme un village, posé à l'extrémité de la grande ville qu'était Sydney.

Peu après le jeu de boules, il y avait le cimetière de Waverley. C'était le seul endroit où Tom consentait à accélérer un peu. Il n'aimait pas cet endroit ; je crois qu'il en avait peur.

Moi, c'était l'inverse. Je ralentissais toujours quand nous y arrivions. Les tombes s'étageaient sur la colline, on n'en voyait pas la fin. Elles étaient tournées vers l'océan, et je pensais que ça devait être bien de dormir là, dans le bruit mêlé de la mer et du vent.

Un jour, papa a tourné le dos à l'océan et a déclaré :

– Nous allons contourner le cimetière.

C'était intrigant de courir vers le sommet de la colline. Intrigant et long, et j'avais très envie de savoir ce qu'il y avait de l'autre côté.

J'avançais la tête levée, m'attendant toujours à arriver au bout et à découvrir l'immense panorama qui, j'en étais sûr, allait se dévoiler à nous. Mais l'horizon reculait encore et encore, et cela n'en finissait pas. La colline était beaucoup plus haute et vaste qu'elle n'en avait l'air, et le nombre de tombes qui la recouvraient était incalculable.

Pour une fois, nous étions restés groupés, moi quelques pas en avant, puis Tom, puis papa, puis Billy. Soudain, la sonnerie d'un téléphone a retenti. Nous nous sommes arrêtés, surpris, et avons regardé autour de nous ; nous étions seuls. Tom levait vers papa de grands yeux inquiets. Billy avait un sourire sur les lèvres ; il avait déjà repéré l'homme assis, quelques tombes plus loin, en partie dissimulé derrière un arbre, mais il n'a rien dit.

Papa a fini par hausser les épaules :

– Sûrement un mort qui reçoit un coup de fil ! a-t-il lancé.

Tom s'est jeté contre lui en gémissant. Il s'est agrippé à sa taille, a noué ses pieds autour de ses jambes et caché sa tête contre son ventre. Papa a chancelé sous le choc, puis repris son équilibre.

– C'est une blague, Tom ! a-t-il expliqué d'une voix rassurante. Juste une blague !

Tom ne voulait rien entendre. Il continuait à gémir en se balançant, si bien
que papa l'a pris dans ses bras, et Tom a
enfoui sa tête contre son épaule.

Papa était très embarrassé.

– C'est fini, c'est fini, a-t-il murmuré en
embrassant les cheveux de Tom. C'était
juste une plaisanterie. Ce n'est rien.

Il a regardé autour de lui et il a ajouté :

– Nous allons revenir par un autre
chemin.

Il s'est dirigé vers un escalier qui rejoi-
gnait Boundary Street, en contrebas.
Avant de s'engager sur les marches, il
s'est tourné vers nous.

– Vous venez?

Blotti dans ses bras, Tom avait l'air tout
petit, et papa ressemblait à un géant.
Nous l'avons rejoint sans un mot.

Je n'ai jamais su jusqu'où allait la colline et ce qui se trouvait au-delà de l'horizon.

Une idée de papa

Je crois que papa a tout essayé pour donner à Tom le goût de courir.

Un jour, il est revenu avec un cadeau pour lui. Tom s'est jeté sur le présent, a déchiré l'emballage et a considéré l'étrange objet qu'il contenait.

Il s'agissait d'un casque en plastique dur très coloré. Une partie était jaune, et l'autre rouge. Quant aux courroies qui servaient à le maintenir sur la tête, elles étaient vertes.

Mais ce n'étaient pas ses couleurs qui faisaient l'originalité de ce casque ; c'était l'hélice fixée sur son sommet.

Mon petit frère l'a fait tourner du bout des doigts et a demandé :

– À quoi ça sert ?

– Tu verras demain, a répondu papa d'un ton mystérieux. Pour l'instant, nous allons l'essayer.

Il a posé le casque sur la tête de Tom et ajusté la longueur des courroies. Puis il s'est reculé, a observé Tom, les sourcils froncés, avant de déclarer avec un grand sourire :

– Tu es très beau !

Tom ressemblait à un clown miniature ou à un extraterrestre, et il avait l'air très content.

– Tu vas voir, a ajouté papa. Avec ça, tu vas courir deux fois plus vite.

J'ai eu un pincement de jalousie. Si ce casque avait de telles vertus, pourquoi papa l'offrait-il à Tom qui détestait courir et pas à moi? Et d'ailleurs, comment l'objet fonctionnait-il?

J'ai eu la réponse le lendemain.

Quand Tom s'est élancé, avec beaucoup plus d'entrain et de vigueur que d'habitude, l'hélice s'est mise à tourner.

– Ça marche! s'est exclamé papa.

Il est resté à la hauteur de Tom et a expliqué :

– Tu vois, quand tu cours, l'hélice attrape le vent et tourne. Du coup, elle t'entraîne. Tu ne sens pas cette énergie au sommet de ta tête?

– Si, si, a répliqué Tom d'un air convaincu.

Billy et moi avions déjà compris qu'il s'agissait d'une grosse blague. Il était évident qu'aucun objet de cette sorte ne pouvait vous faire courir plus vite !

Mon petit frère, lui, l'a compris à la fin de la matinée.

Rouge, dégoulinant de sueur et le regard furieux, il s'est arrêté, a ôté le casque et a regardé papa avec rancune.

– Ça ne marche pas !

– Pas du tout ? s'est étonné papa.

– Un peu au début, a concédé Tom.

– Ah ! Tu vois !

– Mais après, ça s'arrête.

– Pourtant, a affirmé papa, le vendeur m'a assuré que…

Devant le regard noir de mon petit frère, il n'a pas terminé sa phrase.

Les jours suivants, j'ai repris mes allers-retours et mon petit frère a retrouvé son air chagrin et ses plaintes. Il a conservé le casque, cependant, et l'a porté régulièrement. Je crois qu'il aimait surtout quand les gens se retournaient sur son passage, en se demandant quelle était cette drôle d'hélice au sommet de son crâne.

Maman

Après l'épisode du cimetière, nous avons pris l'habitude de partir de l'autre côté.

En arrivant à Burrows Park, au lieu de tourner à gauche, nous tournions à droite. La piste descendait rapidement vers une baie tout en longueur. Là, la mer était calme, presque plate, et au bout il y avait une grande plage de sable. C'était le coin favori des parents accompagnés de jeunes enfants car à cet endroit l'eau est peu profonde et ils peuvent s'y amuser sans risque.

C'était aussi le coin favori de mon petit frère.

Pas pour les mêmes raisons.

Nous étions encore à mi-pente quand les premières notes de musique parvenaient à nos oreilles, une musique joyeuse et délicate qui nous ravissait.

– Il est là ! Il est là ! s'exclamait Tom en accélérant.

« Il », c'était le marchand de glaces. Sa fourgonnette était une merveille. Pimpante, peinte de couleurs vives, elle ressemblait à une maisonnette montée sur roues avec ses fenêtres aux rideaux fleuris et son minuscule balcon blanc. Baignée dans la musique légère, auréolée de la lumière océanique, elle constituait le plus beau des spectacles.

– Incompréhensible, marmonnait mon père.

Nous savions ce qu'il voulait dire ! L'homme qui conduisait ce bel engin était gros, rougeaud, hirsute, pas très propre et pas du tout aimable.

– Comment quelqu'un d'aussi laid et d'aussi grognon a-t-il pu aménager une fourgonnette comme celle-ci ? s'interrogeait mon père, perplexe.

Qu'importe. Les glaces étaient aussi délicieuses que la voiture était belle et le vendeur moche, et mon père avait souvent quelques pièces au fond de ses poches. Nous mangions nos glaces en regardant la mer et papa soupirait :

– Je vais encore me faire gronder par votre mère.

– On ne dira rien ! assurions-nous en chœur.

Notre mère ne courait pas.

C'est peut-être parce qu'elle venait d'un autre pays, de l'autre côté de la planète. Papa, lui, était né ici, dans les vastes espaces de l'Australie.

Nous étions allés à plusieurs reprises chez gran'pa Joey, et nous savions ce que « vastes espaces » signifiait. La route s'allongeait pendant des heures et des heures, toute droite au cœur d'immenses étendues couvertes d'herbe. La ferme était située au bout d'une piste de plusieurs kilomètres qui s'achevait là où la maison avait été construite, au pied d'une colline.

Il n'y avait personne à la ronde. Pas de village, pas d'autre habitation. Juste l'immensité vide. Je comprenais très bien comment le goût de courir était venu à mon père. Tout cet espace à avaler...

Maman venait de France.

Rien à voir.

Elle prétendait que dans certaines régions, il y avait aussi de grands espaces, puis elle se ravisait :

– Pas comme ici.

Elle avait l'air songeur en prononçant ces mots, mais nous savions qu'il n'y avait aucun regret en elle.

Elle était une jeune fille quand elle était arrivée en Australie. Au début, elle avait prévu d'y passer une année à voyager et trouver des petits boulots. Et puis elle avait rencontré mon père. Il avait quitté la ferme de gran'pa Joey pour faire ses études à Sydney. C'est là qu'ils s'étaient connus.

Et elle était restée.

Ils étaient allés en France trois fois. La première, avant leur mariage ; la deuxième, après la naissance de Billy ; la troisième, après ma naissance. Je n'en avais aucun souvenir. Billy prétendait que lui en avait ; je ne sais pas si c'est la vérité.

Mais même si je ne connaissais pas ce pays, je savais parler sa langue.

Maman avait instauré cette règle : nous vivions en Australie et nous parlions anglais à l'école et en dehors de la maison ; à la maison, en revanche, c'était le français pour tout le monde, y compris papa.

– Ça va être le bazar dans leur tête, disait papa.

Il parlait français avec un drôle d'accent. Les « r », notamment, lui donnaient pas mal de difficultés, mais, bien qu'il vive dans son pays et qu'il soit très peu allé en France, il se pliait aux exigences de maman.

– Je ne veux pas qu'ils ignorent la langue de leur mère, disait-elle.

Elle, de son côté, ne s'était jamais débarrassée de son accent français. Lorsqu'elle engageait la conversation avec quelqu'un qu'elle rencontrait pour la première fois, la question surgissait immanquablement au bout de quelques phrases :

– Where are you from ?

Billy, Tom et moi nous amusions beaucoup à écouter chacun de nos parents parler dans la langue de l'autre. Nous les imitions, et ils s'imitaient l'un l'autre. Nous riions beaucoup tous les cinq.

Aujourd'hui, je me demande si nous, les enfants, avions un accent dans une langue ou l'autre. À l'époque, aucun de nous ne s'est interrogé là-dessus.

Question bazar, en tout cas, papa avait tort.

Ce n'était pas du tout le bazar dans nos têtes, pas dans la mienne en tout cas. Au contraire, c'était parfaitement organisé. Quand je parlais en anglais, je pensais en français, et inversement. Ainsi, les deux langues étaient toujours présentes et indissociables.

Je me souviens d'avoir essayé d'expliquer cela à quelques personnes. Elles fronçaient les sourcils en m'écoutant, elles ne comprenaient pas. Je n'ai pas insisté. J'étais heureux ainsi avec mon papa venu du fond de l'Australie, ma maman arrivée de l'autre bout du monde, et ces deux langues qui chantaient dans mon cœur et dans ma tête.

Papa et moi

J'ai eu 9 ans et puis 10.

Billy a eu 12 ans, puis 13.

Il a cessé de venir courir avec nous, prétextant d'autres activités.

Quant à Tom, maman a déclaré un beau jour :

– Il n'aime pas ça, Jimmy. Ne le force pas.

Papa a levé vers elle un regard surpris.

– Il n'aime pas ça ? a-t-il répété.

– Non.

– Il te l'a dit ?

– Je le sais, voilà tout. Et puis ce casque est vraiment ridicule, a-t-elle ajouté avec une nuance d'irritation dans la voix.

– Ah bon ? Tu trouves ? a murmuré papa d'un air penaud.

– Oui. Laisse-le tranquille.

– Mais…

– N'insiste pas, Jimmy. Tu vas le dégoûter du sport pour le reste de sa vie !

Papa avait l'air terriblement déçu. Jamais il n'aurait imaginé qu'un de ses fils puisse ne pas aimer courir.

– Plus tard, peut-être… a-t-il marmonné.

Finis mes allers-retours de jeune chien !
Avec moi comme seul compagnon, papa
courait à son rythme et je le suivais ; et
nous filions vers l'horizon, droit devant
nous, sans nous retourner.

J'étais persuadé pouvoir courir pendant des heures, mais papa imposait des
haltes. Il me tendait sa gourde :

– Une gorgée, pas plus.

Il s'appuyait à une barrière et s'étirait
les jambes. Je l'imitais.

– Tire tes talons. Plus que ça. Redresse
la tête.

J'engrangeais ses conseils et mon corps
les assimilait aussitôt.

En classe, ou dès que je devais rester
assis un moment, j'avais des fourmis

dans les jambes. Je les tendais doucement, l'une après l'autre, puis les deux
ensemble, m'obligeant à respirer lentement, profondément, comme papa me
l'avait appris.

Nos sorties n'avaient plus de limites
et Sydney s'offrait à nous. Alors nous
avons exploré tout ce qui était à notre
portée.

Nous avons couru le long de la côte,
vers le nord, jusqu'à Tamarama, jusqu'à
Bondi Beach, et même jusqu'à Dover
Heights.

Nous avons couru vers le sud jusqu'à
Coogee Beach, jusqu'à Mistral Point et
jusqu'à Maroubra Beach.

Nous avons couru sur les lattes des
passerelles, sur la terre des pistes, sur
l'herbe des promontoires, sur le sable des
plages, sur les rochers que la mer décou-
vrait, sur les gravillons des allées et sur le
bitume des routes.

Nous nous sommes laissés tomber sur le dos au sommet des falaises, et un vol de mouettes est venu danser au-dessus de nos têtes, tout blanc sur le ciel bleu. J'aurais pu tendre la main et les toucher peut-être. Non. Elles étaient trop haut, et si légères qu'un coup de vent soudain les a emportées.

Nous nous sommes allongés sur le sable de Bronte Beach, et une vague est venue balayer nos baskets, laissant une trace d'écume sur nos jambes.

Nous nous sommes assis sur un banc de Jack Vanny Memorial Park, et les avions de l'aéroport voisin nous ont survolés en vrombissant avant de disparaître au bout de l'océan.

Nous avons partagé des biscuits et la dernière goutte de la gourde de papa, avant de trouver une fontaine où nous nous sommes aspergés en riant.

Nous avons écouté les remontrances de maman.

– Tu vas le tuer! Il est en pleine croissance. Je ne suis pas sûre que ce soit très bon pour lui de courir ainsi...

Nous nous sommes bien gardés de répondre.

Nous avons couru la nuit.

Nous avons quitté la maison au moment où le soleil disparaissait à l'horizon. Mais sa lumière s'est longtemps attardée, se reflétant dans les baies vitrées des maisons de South Coogee.

Nos pas ne faisaient aucun bruit sur le sol, et la mer s'est adoucie. Seule la musique du ressac parvenait à nos oreilles. Il n'y avait personne, que papa et moi, l'un derrière l'autre, comme deux ombres indissociables.

Et puis, l'obscurité est venue.

Nous nous sommes arrêtés pour fixer nos frontales sur nos têtes et nous sommes repartis. Le cercle de lumière dansait devant nous. Instinctivement, nous avons levé les pieds plus haut pour ne pas risquer de trébucher. Nous sautillions plus que nous ne courions.

Nous nous sommes reposés sur une murette au-dessus de l'océan et papa a dit :

– Éteins ta frontale.

J'ai obéi et il a tendu le bras :

– Regarde.

Une grande flaque d'argent était posée sur la mer. Papa a levé le doigt vers le ciel. La lune était là, toute ronde, toute blanche, et c'est elle qui se reflétait sur l'eau. J'ai renversé la tête. Le ciel était plein d'étoiles.

Jamais je n'ai connu un silence pareil.

Papa et moi, nous avons longtemps écouté ce silence et, quand nous sommes repartis, nos jambes étaient ankylosées.

– Nous aurions dû nous étirer avant de nous asseoir, a dit papa.

C'était trop tard, mais nos membres se sont réchauffés alors que nous dévalions vers Gordons Bay.

Maman nous attendait et elle nous a grondés.

– Où étiez-vous passés? Je me faisais du souci! Et tu as vu l'heure? a-t-elle ajouté à l'adresse de papa. Il a école, demain!

Nous avons échangé un bref regard. Puis j'ai filé prendre ma douche avant de me glisser dans mon lit.

– Tu m'as réveillé! a grogné Billy depuis le lit voisin.

Je crois qu'il ne dormait pas, en réalité. Il m'attendait.

Comme des ailes

Nous avons agrandi notre champ d'action.

Nous avons emprunté un bus qui nous a conduits à Potts Point puis, par les rues, par les quais, par les parcs, nous avons couru jusqu'à Dawes Point où papa s'est arrêté.

– C'est ici, a-t-il dit.

Nous étions au pied du Harbour Bridge, et l'opéra était juste en face de nous, de l'autre côté de l'eau, ses toits déployés dans la lumière.

Bien sûr, comme tous les habitants de Sydney, je connaissais l'opéra. Nous venions de temps en temps nous promener dans ce quartier et manger une glace en regardant les gigantesques paquebots amarrés le long des quais.

Mais jamais je n'avais réalisé à quel point papa aimait cet endroit.

— Quand je suis arrivé dans cette ville, a-t-il commencé, je suis venu tout droit ici, et j'ai compris que je ne repartirais pas.

Nous sommes restés là un long moment. Si long que papa a téléphoné à maman pour l'avertir que nous ne rentrerions pas déjeuner.

Nous avons marché sur le quai, et papa m'a montré les plaques rondes scellées dans le sol.

— Chacune est dédiée à un écrivain australien ou à un écrivain d'un autre pays qui a séjourné ici, m'a-t-il expliqué. Tu vois, il y a son nom, quelques indications sur sa vie et quelques lignes qu'il a écrites.

Nous avons déambulé d'une plaque à l'autre, la tête baissée, lisant les textes gravés sur le métal. Nous avons ainsi contourné les bassins pour avancer vers l'opéra.

Il était beaucoup plus loin que ça en avait l'air et pourtant, je n'avais pas envie de courir.

Sous mes baskets, le sol était presque élastique et l'air autour de nous était bruissant de paroles, d'appels, de rires, de musique et du cri des oiseaux.

Au fur et à mesure que nous approchions, l'opéra se transformait. Ses toits se chevauchaient, se divisaient, se rassemblaient ou s'épanouissaient. Parfois, ils étaient complètement blancs ; à d'autres moments, presque gris.

Je ne pouvais pas en détacher mon regard ; j'avais peur qu'il disparaisse.

Nous nous sommes arrêtés au bas des marches et nous avons levé le nez.

– Je vais te dire quelque chose, Glenn, a déclaré papa. Tu vois, je suis venu très souvent ici ; eh bien, l'opéra, il n'est jamais le même.

Je voyais tout à fait. Moi, rien qu'au cours de cette seule promenade, j'avais engrangé des dizaines d'images différentes.

Papa a ri doucement.

Je l'ai regardé d'un air interrogateur et il a ébouriffé mes cheveux.

– Tu imagines, Glenn, sa toiture, c'est comme des ailes. Si nous pouvions les accrocher à nos pieds...

– Des ailes de géant, ai-je murmuré à mon tour.

Les ailes brisées

J'avais 10 ans, 8 mois et 3 jours quand papa a disparu.

Il est parti, et il n'est jamais revenu.

C'est au retour que son avion s'est écrasé.

Au retour de chez gran'pa Joey. Il y était allé pour aider gran'pa à régler des affaires. Je crois qu'il s'agissait de vendre quelques terres, je ne suis pas très sûr.

Il n'est pas revenu.

On a retrouvé l'avion dans le désert, au nord de Coober Pedy.

On ne l'a pas retrouvé tout de suite. Il est tombé dans un coin perdu et le mauvais temps a empêché les secours de se mettre en route aussitôt. Il n'y avait pas de piste pour aller là-bas. Ce n'est qu'au bout d'une semaine qu'ils ont finalement découvert la carcasse.

Il n'y avait plus rien à faire.

D'ailleurs, il ne restait pas grand-chose de l'avion que nous avions vu s'envoler après avoir accompagné papa à l'aéroport, quelques jours auparavant.

Le dernier souvenir que j'avais de mon père était le clin d'œil qu'il m'avait adressé au moment d'embarquer, et la phrase qu'il avait murmurée à mon oreille, juste pour moi :

– Des ailes de géant, Glenn.

Il ne savait pas que même les ailes de géant peuvent se briser.

L'aîné

Maman ne parlait plus.

Elle préparait les repas, posait les plats sur la table, mais elle ne mangeait pas.

Nous n'allions plus à l'école.

Elle ne nous disait plus de prendre notre douche, alors Tom a cessé de se laver.

Billy a essayé de prendre la situation en main. Après tout, c'était lui, l'aîné.

C'est ce qu'il a déclaré, un jour, l'air sérieux :

– C'est moi l'aîné.

Il n'a pas su quoi ajouter.

Qu'est-ce que cela voulait dire « être l'aîné » ? Papa n'était plus là.

Et puis papy et mamie sont arrivés de France, et eux, ils ont tout de suite su ce qu'il fallait faire.

Mamie a rangé la maison, lavé Tom et déclaré que nous retournerions à l'école dès le lendemain.

Tom l'a immédiatement adoptée. Il la connaissait à peine pourtant. Ils n'étaient venus nous rendre visite que trois fois depuis sa naissance. Peu importe. Le soir de son arrivée, il s'est lové sur ses genoux et a recommencé à sucer son pouce.

Papy nous a entraînés, Billy et moi, vers Burrows Park. Il n'était pas question de courir. Nous avons joué au ballon.

Billy s'appliquait du mieux possible. Il voulait faire plaisir à papy. Moi, ça m'était égal. Le ballon ou autre chose, c'était pareil.

Sur le chemin du retour, papy a marché entre nous deux et a posé un bras sur nos épaules, le gauche sur celles de Billy, le droit sur les miennes. Au bout de quelques pas, il a serré Billy contre lui et annoncé d'un air grave :

– C'est toi l'aîné, Billy.

Comme si mon frère l'ignorait.

Puis il s'est tourné vers moi et m'a caressé la tête en silence.

Et moi, j'étais quoi alors ?

« Glenn. Tu es Glenn », a chuchoté une petite voix dans ma tête.

Encore aujourd'hui, je me demande si cette voix parlait en français ou en anglais.

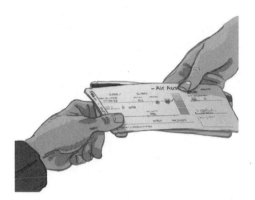

Loin de la mer

Mes grands-parents habitaient à côté de Toulouse, juste à la périphérie de la ville, et c'est là que nous sommes allés vivre.

Il y avait des arbres et le canal du Midi était proche.

J'ai peu de souvenirs de notre voyage. Des heures et des heures d'avion, des changements dans des aéroports immenses, des voix qui s'entremêlaient dans des langues inconnues et, à l'arrivée, le taxi qui nous a déposés chez papy et mamie.

J'avais un drôle de goût dans la bouche.
Et je n'arrêtais pas de penser à gran'pa
Joey. Il n'avait pas pu venir nous dire au
revoir à notre départ de Sydney. Quand
le reverrions-nous ?

À notre arrivée en France, la belle organisation dans ma tête s'est détraquée.
Que je pense en français ou en anglais,
quand j'ouvrais la bouche, c'était immanquablement l'anglais qui sortait. J'ai tout
essayé, rien à faire. Je comprenais le français, je lisais le français, j'écrivais le français, mais impossible de le parler.

Nous avons consulté un médecin, un
psychologue, un orthophoniste, sans
aucun résultat.

Entre-temps, nous avons repris l'école.

Billy est allé au collège, en quatrième ; Tom et moi en primaire, lui en CE2, moi en CM2.

– Glenn va être perdu, sans le français, s'est lamentée maman.

Elle avait tort.

Je parlais en anglais et mes camarades de classe étaient complètement bluffés.

Mme Destrées, la maîtresse des CM2, était ravie. Toute la classe s'était mise à adorer l'anglais ! Et j'avais toujours un calepin et un crayon dans ma poche pour écrire en français ce que les autres ne comprenaient pas.

La vie a repris.

Nous nous levions le matin et nous allions à l'école. Nous faisions des promenades, nous visitions la ville. Billy a rencontré des copains ; Tom aussi. Maman a parlé de chercher un travail. Mamie a assuré que nous pouvions rester là aussi longtemps que nous voulions, la maison était grande. Maman a répondu que ce n'était pas une raison. Nous nous sommes installés.

La vie a repris, mais elle n'avait plus ni goût ni odeur.

Les jours se suivaient et se ressemblaient. Je n'attendais rien. Parfois, quand nous étions dehors, je me surprenais à guetter le bruit de la mer.

En vain.

La mer était loin.

– Nous irons au printemps, dès qu'il fera beau, avait dit papy.

Je n'arrivais pas à compter le nombre de jours qui nous séparaient du printemps. D'ailleurs, je m'en fichais. La mer, je la voulais ici, tout de suite, avec ses vagues qui arrivaient du fond de la planète et le cri des oiseaux.

Les jours passaient et j'observais ma famille comme si elle m'était étrangère.

Billy avait l'air très à l'aise dans sa nouvelle vie. Il parlait du collège comme s'il l'avait toujours fréquenté et intervenait à table dans les discussions entre maman, papy et mamie comme un adulte.

Tom s'était installé dans son rôle de petit dernier. Sa place favorite était les genoux de mamie, même si maman disait :

– Tu es lourd, Tom. Tu vas fatiguer ta grand-mère.

– Mais non ! protestait mamie en serrant mon petit frère contre elle.

Moi, j'étais au milieu. Je participais peu aux conversations car papy et elle ne comprenaient pas l'anglais. Quant aux genoux de mamie… J'étais vraiment trop grand ! J'aurais bien aimé, pourtant, qu'elle me serre, moi aussi, contre elle, en murmurant des mots doux à mes oreilles.

Le long du canal

Un mercredi, j'ai quitté la maison.

C'était la première fois que je sortais seul.

Maman avait été très stricte là-dessus. Billy avait le droit de circuler sans un adulte, à condition qu'il dise où il allait. Mais Tom et moi devions toujours être accompagnés.

– Ils ne connaissent rien de ce pays, avait-elle expliqué à papy et mamie. On verra plus tard, quand ils seront acclimatés. De toute façon, Tom est trop petit…

Tom était trop petit. Mais moi ? Sous prétexte que nous étions dans la même école, j'avais droit au même régime. Ce n'était pas juste.

Ce mercredi matin, Billy était au collège et Tom jouait dans sa chambre. Maman et mamie étaient parties faire des courses et papy bricolait dans le garage. Je me suis glissé à l'extérieur, et personne ne s'est aperçu de rien.

Maman pouvait penser ce qu'elle voulait, j'avais parfaitement repéré le quartier. J'ai longé la rue, tourné à gauche, puis j'ai emprunté une longue avenue bordée de maisons, et je suis arrivé au canal.

Les eaux étaient d'un brun verdâtre, calmes et parfaitement silencieuses. De chaque côté, une rangée d'arbres s'allongeait à l'infini.

Sur la droite, il y avait un chemin de terre qui suivait le canal. Je m'y suis engagé. Un drôle de fourmillement s'est emparé de mes jambes, de mes pieds, avant de remonter à mon ventre, puis à mes épaules pour redescendre le long de mes bras, jusqu'au bout de mes doigts.

Sans même m'en apercevoir, j'ai commencé à courir.

J'ai couru longtemps.

L'eau était toujours verte et tranquille et les arbres se succédaient, identiques.

Parfois, le canal s'étirait en une grande courbe dans un sens, puis dans l'autre.

Parfois, je croisais un autre coureur. Il m'adressait un petit signe sans ralentir, comme si nous nous connaissions, et je lui répondais.

Je ne me fatiguais pas, je ne m'essouf-
flais pas. Pourtant, en arrivant sous un
pont, je me suis arrêté net. Quelle heure
pouvait-il être ? Je n'avais aucune idée
du temps qui s'était écoulé depuis mon
départ. J'ai fait précipitamment demi-
tour et je suis reparti dans l'autre sens.

Il y a eu à nouveau l'eau brunâtre et
le défilé des arbres, puis l'avenue et les
petites rues, et enfin la maison.

Le cœur battant, je me suis faufilé à
l'intérieur. Tom avait rejoint papy dans
le garage et je les entendais discuter.
Maman et mamie n'étaient pas rentrées.
Je me suis glissé dans ma chambre, puis
dans la salle de bains. L'eau chaude a
ruisselé sur ma tête et je me suis enfin
senti vivant.

C'était la première fois que je courais sans papa.

Ces mots sont arrivés tout seuls dans ma tête, en anglais, dans la langue de mon père.

L'eau a continué à inonder mon corps nu tandis que je me pliais en deux, secoué par des sanglots plus forts que moi. Mes larmes se sont mêlées à elle, et je suis resté là, j'ignore combien de temps, jusqu'à ce que maman frappe à la porte en appelant :

– Glenn ! Tu as fini ? Viens nous aider à décharger les courses !

Courir en l'air?

J'ai recommencé plusieurs mercredis de suite.

J'avais mes habitudes. Je quittais la maison en silence, comme une ombre, et je savais exactement jusqu'où je pouvais aller dans le temps qui m'était imparti. J'accomplissais toujours le même trajet, consciencieusement, les yeux fixés sur l'eau dormante. Je croisais souvent les mêmes coureurs. Nous nous reconnaissions. Ils me reconnaissaient.

Billy s'est inscrit au club de basket du collège où il a passé ses mercredis après-midi et ses samedis, quand il y avait match. Maman a proposé à Tom de faire du judo. Il a été très content.

– Et toi, Glenn, quel sport aimerais-tu pratiquer? m'a demandé papy.

J'ai secoué la tête.

Je ne voulais pas pratiquer un sport, encore moins être inscrit dans un club. Je voulais juste courir au bord du canal, seul, puisque papa n'était plus là et que mes frères avaient oublié nos sorties au-dessus de l'océan.

Et le mercredi ne me suffisait plus. Mais comment échapper à la surveillance de maman, papy et mamie?

Je me suis lié avec Julien. De tous mes camarades de classe, c'était celui que je préférais car il était comme moi, il parlait peu.

Lui avait de la chance. Ses parents travaillaient et ne rentraient pas avant dix-huit heures trente. Depuis qu'il était en CM2, il portait la clé de leur appartement autour du cou, revenait seul de l'école et apprenait ses leçons en les attendant.

Nous nous sommes mis d'accord, Julien et moi. Certains soirs, je dirais à ma mère que j'allais passer un moment chez lui. Bien sûr, il ne fallait surtout pas qu'elle sache que nous n'étions que tous les deux !

En échange, je l'aiderais pour l'anglais. D'ailleurs, il adorait m'entendre parler cette langue ! Et je peux dire qu'avec moi il a réellement progressé.

Mais je n'allais pas chez Julien.

J'allais courir.

Pas le long du canal, cela m'aurait pris trop de temps, mais dans un parc proche de l'école.

Quand il faisait beau, Julien m'accompagnait. Il gardait mon sac et m'attendait, assis sur un banc.

Nous sortions à seize heures trente et je devais être à la maison à dix-huit heures. Si j'enlevais les temps de trajet, cela me laissait une heure pour courir, ce n'était pas si mal.

Sans papa, c'était difficile. Il n'était plus là pour me donner des conseils. J'avais en mémoire ce qu'il m'avait dit sur la respiration, le souffle, les étirements, la façon de poser le pied, d'assouplir les chevilles, mais il devait y avoir encore mille choses que j'ignorais.

J'ai emprunté des livres et des revues à la médiathèque. J'ai regardé les compétitions d'athlétisme à la télévision.

Devant cet intérêt, maman m'a proposé, pleine d'espoir :

– Tu n'aimerais pas t'inscrire à un club d'athlétisme ?

J'ai refusé d'un signe de tête.

– Glenn aime le sport assis sur le canapé ! s'est moqué Billy.

J'ai fait comme si je n'entendais pas.

Un jour, à la sortie de l'école, Julien a déclaré :

– Tu ne vas pas courir, aujourd'hui. Tu viens chez moi.

– Pourquoi ?

– Il y avait une émission, hier, à la télé. Je l'ai enregistrée, elle va t'intéresser.

Le reportage dont parlait Julien était stupéfiant. Il traitait des coureurs de fond, des marathoniens.

– C'est bien pour ça que tu cours, non ? a dit Julien. Pour faire un jour des marathons ?

Sur le coup, je n'ai pas su quoi répondre. Je ne savais pas pourquoi je courais. J'ai fini par griffonner sur mon calepin :

« Faut pas exagérer ! Le marathon, c'est plus de quarante kilomètres ! J'en suis pas là. Je ne sais même pas quelle distance je parcours. »

– D'accord. Mais en tout cas, la course de vitesse, ça ne t'intéresse pas. Toi, tu es un coureur de fond.

« Peut-être », ai-je admis.

– C'est certain ! Alors, tu vas voir…

Le reportage montrait des athlètes originaires des hauts plateaux éthiopiens, en Afrique. Ils avaient une curieuse façon de courir : ils posaient d'abord la plante des pieds sur le sol, et non pas le talon.

– Regarde le ralenti, a ordonné Julien sur le ton d'un professionnel.

Le ralenti était beau et époustouflant. Les coureurs s'élevaient au-dessus de la piste et déployaient leurs jambes, effleurant à peine la terre, comme s'ils passaient plus de temps en l'air qu'au sol.

– Observe comme celui-ci semble pataud, en comparaison, a commenté Julien.

Il avait raison. Le sportif qui courait à présent sur l'écran plantait lourdement ses talons dans le sol à chaque foulée, et j'avais l'impression de sentir la dureté de la piste résonner dans mes propres genoux.

– Il piétine, a remarqué Julien.

« Et ça vient de quoi, cette diffé-
rence? », ai-je écrit sur mon carnet.

– Le reporter l'explique, plus loin.
Sur ces hauts plateaux, les habitants
marchent pieds nus dès qu'ils sont en âge
de se dresser sur leurs jambes. Résultat,
ils ont des pieds souples et solides. Ils
ont aussi l'habitude de courir, car ils
ont de longues distances à accomplir et
aucun moyen de locomotion.

« Mais pourquoi ne posent-ils pas
d'abord leurs talons, comme nous? »

– Parce que le sol est trop dur! Avec la
plante des pieds, ils amortissent le choc
et rebondissent.

Nous avons regardé l'émission jusqu'au
bout. À un moment, le commentateur a
expliqué que nous étions les descendants

de chasseurs-cueilleurs faits pour être actifs toute la journée. J'ai compris pourquoi j'avais des fourmillements dans les jambes après une heure de classe seulement !

En partant, j'ai demandé à Julien :

— Tu crois que je devrais courir pieds nus ?

J'avais parlé en anglais, mais Julien a compris car il a répondu :

— En tout cas, tu pourrais essayer.

Mauvaise idée

J'ai suivi le conseil de Julien dès le mercredi suivant.

À mon arrivée au canal, j'ai ôté baskets et chaussettes et je les ai dissimulées derrière un buisson. Puis je me suis élancé.

C'était douloureux ; très douloureux. Mais je me suis obstiné.

« C'est parce que tu n'as pas l'habitude, me suis-je dit. Tes pieds vont s'endurcir. »

Les coureurs qui me croisaient me jetaient des coups d'œil curieux.

Je n'y prêtais pas attention. Je me concentrais sur la façon de poser le pied, d'abord la plante, puis le talon, sans toujours y parvenir.

C'était difficile et mes doigts de pieds se contractaient en touchant le sol comme s'ils en avaient peur ! Et puis, il y avait toujours un caillou qui venait s'incruster dans ma chair. J'avançais les yeux braqués sur le chemin, essayant de choisir l'endroit le plus lisse, le plus doux.

Je n'y arrivais pas.

Ce mercredi-là, je n'ai pas atteint le pont qui me servait de point de repère.

Et je n'ai pas couru sur le chemin du retour. Je me suis traîné lamentablement, guettant avec angoisse le buisson où j'avais laissé mes affaires. Quand je l'ai finalement trouvé, j'ai enfilé mes chaussettes et mes baskets à grand-peine. J'avais les pieds en sang. Je suis rentré à la maison en boitant, des larmes de douleur dans les yeux.

Je savais que j'étais très en retard et, effectivement, maman m'attendait sur le pas de la porte, furieuse.

Elle a aussitôt commencé à crier :

– Tu te rends compte de la peur que tu nous as faite ? Sans papy, j'appelais la police !

Papy est intervenu d'une voix calme :

– N'exagère pas. Je te l'ai dit qu'il n'était pas loin. Il courait au bord du canal ; n'est-ce pas, Glenn ?

Je lui ai lancé un regard surpris. Ainsi, il savait ?

C'est aussi ce qu'a compris ma mère.
Elle a rugi :

— Parce qu'en plus tu étais au courant !

— Plus ou moins, a tempéré papy.

— Je ne sais pas depuis quand ce petit
jeu dure, mais en tout cas il est terminé,
a dit maman sèchement. Tu m'entends,
Glenn ? Terminé. Je ne veux plus te voir
quitter seul la maison, encore moins
pour aller courir au bord du canal !

Elle s'est tournée vers papy et a
enchaîné :

— Et toi, tu es complètement incons-
cient. Tu imagines ? Il aurait pu tomber
dans l'eau, se faire agresser...

Je l'écoutais à peine. De toute façon, je
ne pensais plus à courir, j'avais bien trop
mal aux pieds.

– Tu ferais mieux de t'occuper de lui, a coupé papy.

– Pourquoi ? a interrogé maman en s'apercevant enfin de mon état pitoyable. Glenn, que t'est-il arrivé ?

J'ai fondu en larmes.

– Mes pieds... ai-je bafouillé.

Papy et moi

Je n'ai pas pu poser un pied au sol pendant deux semaines et je suis allé à l'école avec des béquilles.

– Pieds nus, ce n'était pas une bonne idée, a constaté Julien.

– Pas l'habitude, ai-je marmonné en anglais.

Puis les plaies se sont cicatrisées et tout est rentré dans l'ordre.

Sauf qu'il n'était plus question de courir au bord du canal.

Je l'ai tenté, pourtant.

– Maman, je t'assure, je connais bien, maintenant. Ce n'est pas dangereux. D'ailleurs, il y a plein de gens qui courent.

– J'ai dit non, et c'est non. Si tu veux courir, tu t'inscris dans un club.

Je lui ai tourné le dos. Je n'en voulais pas de son club. Courir était une affaire entre papa et moi.

C'est alors que papy est intervenu.

– Moi, je l'emmènerai courir.

– Oh, toi ! a commencé maman.

Elle ne lui pardonnait pas d'avoir gardé mes escapades sous silence.

Elle a poursuivi :

– D'ailleurs, tu n'as jamais couru ! Et ce n'est pas à ton âge que tu vas t'y mettre.

– Je n'ai pas l'intention de courir, a déclaré papy tranquillement. Je l'accompagne et je le surveille, c'est tout. S'il est d'accord, a-t-il ajouté en me regardant.

Je n'ai pas hésité longtemps. J'ai accepté d'un signe de tête.

– Ça lui fera du bien, a plaidé papy. Il a besoin d'une activité sportive et, s'il ne veut pas aller dans un club, le canal est une bonne solution. Nous avons la chance d'habiter tout près, profitons-en.

Maman a commencé à fléchir.

– Tu me promets que tu ne le quitteras pas des yeux?

– Je le jure, a dit papy solennellement.

C'est ainsi que j'ai recommencé mes allers-retours, comme à l'époque où Tom a rejoint le groupe que nous formions, papa, Billy et moi.

Nos sorties du mercredi sont devenues un rituel. Nous marchions jusqu'au canal et nous nous engagions sur la piste.

Papy continuait d'avancer de son pas tranquille, et moi, je courais. Quand papy me perdait de vue, il appelait :

– Glenn ! Attends-moi.

Je virais sur place et revenais vers lui sans perdre mon rythme.

Nous y allions chaque mercredi matin. Puis nous y sommes allés le samedi et le dimanche. Quand les jours ont allongé, nous y sommes aussi allés certains soirs de la semaine. Parfois, Julien nous suivait, et papy et lui commentaient mes progrès d'un air grave.

Papy ne parlait ni ne comprenait l'anglais. De mon côté, aucun mot français ne franchissait mes lèvres. Pourtant, nous nous entendions à merveille et, si un malentendu survenait, mon calepin venait à la rescousse.

Papy s'est pris au jeu. Il a consulté des magazines spécialisés, s'est informé auprès de connaissances et m'a prodigué conseils et encouragements.

Un jour, alors que je revenais vers lui, il a dit :

– Une minute vingt-huit.

Je l'ai regardé d'un air interrogateur et il m'a montré l'objet qu'il tenait dans sa main. C'était un chronomètre.

– Tu as mis une minute vingt-huit à me rejoindre à partir du moment où je t'ai appelé. Avec ça, nous allons pouvoir vérifier si tu cours régulièrement et à quel moment tu ralentis.

J'ai compris que papy avait pris mon entraînement en main et que c'était du sérieux.

J'ai aussi compris que maman ne parviendrait pas à le dissuader de m'emmener courir. Car elle a essayé, trouvant que nous étions trop souvent absents de la maison et prétextant :

– Glenn est fatigué. Regarde, il est tout pâle.

Ou encore :

– Glenn n'a pas terminé ses devoirs.

Papy avait réponse à tout :

– Un bon bol d'air lui fera du bien et lui donnera des couleurs.

– Ses devoirs ? Mais si, il a fini. Il m'a récité sa leçon il y a cinq minutes.

Maman attaquait sous un autre angle :

– Papa, tu n'as pas l'air bien. Et c'est si humide au bord de ce canal…

– Moi ? rétorquait papy. Jamais je ne me suis senti aussi en forme !

Mamie ne s'en mêlait pas. Tom l'accaparait presque entièrement. Quant à Billy, il nous regardait partir d'un air goguenard. Son équipe de basket avait été sélectionnée pour les championnats régionaux ; c'était autre chose que de courir au bord du canal avec son grand-père !

Papy et moi ne leur prêtions pas attention. Nous avions nos habitudes. L'eau dormante du canal avait remplacé les vagues de l'océan, et le murmure du vent dans les platanes le cri des grands oiseaux blancs, et j'attendais nos sorties avec impatience.

Nous avons couru le long du canal, d'un côté, de l'autre, jusqu'à ce que je connaisse la moindre aspérité de la piste.

Nous avons couru au bord de la Garonne et respiré l'air des montagnes apporté par les eaux tumultueuses.

Nous avons couru sur les chemins des coteaux, gravissant des collines, dévalant des pentes.

Nous nous sommes adressé des signes, chacun d'un côté d'un vallon, moi sautillant devant un champ de blé en herbe, lui debout au pied d'un arbre, son chronomètre à la main.

Nous avons stationné sur le pont Neuf, en plein centre de Toulouse, et profité du soleil printanier en regardant les eaux de la Garonne filer vers la mer.

Nous nous sommes assis sur un banc, derrière le musée d'art contemporain, et nous avons écouté l'eau du fleuve et les cris des enfants dans le parc voisin.

Nous avons guetté les évolutions des oiseaux au-dessus des recoins secrets de l'Ariège.

Nous avons partagé des glaces, place du Capitole, avant de rejoindre les quais ensoleillés de la Daurade.

Nous avons exploré le parc de Pech-David et les avions qui arrivaient sur Blagnac ont projeté sur nous leurs ombres majestueuses.

Nous avons écouté les remontrances de maman et de mamie :

– On ne vous voit plus.

– Vous n'êtes jamais à la maison.

– Tu es sûr que c'est bon, pour lui, un entraînement aussi intensif ?

Nous nous sommes bien gardés de répondre.

La première course

J'ai eu 11 ans et puis 12.

J'ai découvert la mer dont papy avait parlé. Elle était plate et calme, avec une eau claire qui s'allongeait sur le sable.

D'autres fois, nous sommes allés à l'océan. Les vagues se lançaient à l'assaut de la plage qu'elles grignotaient petit à petit. Elles n'avaient pas la vigueur de celles qui venaient se fracasser sur les rochers au pied de Burrows Park. J'ai guetté l'horizon. D'où arrivait cette eau en mouvement ?

– De l'Amérique, a soufflé papy comme s'il entendait ma question.

Ainsi, loin là-bas, il y avait un autre continent. Ressemblait-il à celui-ci?

J'ai quitté l'école primaire pour le collège.

Les débuts n'ont pas été simples.

Certains professeurs n'admettaient pas que je ne m'exprime en français que par écrit. Maman a été convoquée. Elle a expliqué la situation. Nous avons repris la ronde des médecins, des psychologues et des orthophonistes. Sans plus de succès.

Les professeurs se sont habitués. J'étais un élève calme, jamais je ne provoquais le moindre désordre, et mes résultats étaient bons.

C'est à cette époque que Julien est parti. Son père a été muté et ils se sont installés dans une autre ville.

Le 15 janvier de ma sixième, papy m'a inscrit à la course des rois. Elle avait lieu chaque année et se courait le long du canal.

Il y avait un parcours pour les adultes, et un pour les plus jeunes.

« Pourquoi m'as-tu inscrit ? » ai-je écrit sur mon calepin.

– Cela te fera du bien de te confronter aux autres.

« La compétition ne m'intéresse pas. »

– Je sais. Mais tu verras, ce n'est pas inintéressant de courir avec un groupe. On est porté par lui, on observe comment font les autres...

J'ai réfléchi deux minutes.

Porté par le groupe... Autrefois, papa, Billy, Tom et moi formions un groupe. Et papa et moi aussi avions formé un groupe.

– D'ailleurs, ils appellent cela une course, a ajouté papy, mais ça n'en est pas vraiment une. Il n'y a pas de vainqueur. C'est juste une façon de commencer l'année ensemble.

Il faisait froid quand nous nous sommes retrouvés dans le petit matin pour le départ. Il avait gelé durant la nuit et les platanes étaient nimbés d'une carapace de givre. On les voyait à peine cependant dans le brouillard tenace qui s'élevait des eaux brunes. Nous avons bu une boisson chaude et avalé un croissant, puis j'ai enfilé un dossard.

J'ai lancé un regard de reproche à papy qui m'avait accompagné. Il avait prétendu que ce n'était pas une compétition ! Il a compris mon message car il a expliqué :

– C'est juste pour savoir combien de participants sont au départ et s'assurer ensuite que personne ne s'est perdu en route.

Les adultes sont partis les premiers, puis ça a été notre tour. Nous étions beaucoup plus nombreux que ce que j'avais pensé ! Finalement, il y en avait des gens qui aimaient courir.

Papy m'attendait au premier relais. Il m'a tendu un verre que j'ai bu lentement. Je n'avais pas envie de m'attarder, pourtant. Je sautillais sur place. Mes membres me démangeaient et je n'avais qu'une envie : repartir.

C'était exaltant de courir ainsi droit devant soi, en suivant la ligne du canal, comme s'il n'y avait aucune limite. Et finalement, je ne détestais pas cette étrange nouveauté : courir au milieu des autres, accorder mes foulées aux leurs, observer nos souffles mêlés s'élever au-dessus de nous et se fondre dans la brume.

Quand j'ai aperçu le point d'arrivée, un seul mot m'est venu à l'esprit : déjà !

Je n'étais ni fatigué ni essoufflé. J'aurais pu continuer longtemps, jusqu'au bout du canal, jusqu'à l'océan puisque c'est là qu'il allait. Mais les autres se sont arrêtés et je me suis arrêté aussi. J'étais dans le groupe de tête, mais papy avait raison, il n'y avait pas de gagnant.

Plus tard, dans la chaleur humide de la salle des fêtes où nous étions tous réunis autour d'un déjeuner, des médailles ont été distribuées : celle du plus jeune participant, et celle du plus âgé ; celle de la tenue la plus originale, et celle du bonnet le plus amusant…

Papy m'a adressé un clin d'œil. Je lui ai répondu.

Le cœur brisé

J'étais en cinquième quand ils en ont parlé.

C'était aux actualités et nous étions tous devant la télé.

Dès notre arrivée en France, nous l'avions remarqué, les journaux télévisés évoquaient peu l'Australie. Ou alors, c'était pour citer une catastrophe, comme la canicule ou un cyclone. Au début, Billy, Tom et moi dressions l'oreille dès que le mot Australie résonnait. Maman, elle, gardait une certaine distance. Elle écoutait, mais sans en avoir l'air.

Peu à peu, Billy a adopté la même attitude. Quant à Tom, il s'en est complètement désintéressé. Je crois qu'il commençait à oublier les années passées là-bas.

Si peu de choses nous rattachaient encore à ce pays. En dehors de gran'pa Joey, nous ne connaissions pas de famille à papa. Nous avions rencontré une fois ou deux une tante et un grand-oncle. J'en avais peu de souvenirs. Et à présent, gran'pa Joey était loin, à l'autre bout du monde, au milieu de l'Australie, dans sa ferme perdue au bout d'une piste dans l'immensité du Territoire du Nord.

Il nous écrivait régulièrement et nous lui répondions. Nous lui téléphonions aussi, pour Noël et pour son anniversaire, et c'était étrange d'entendre sa voix comme s'il était tout près alors que nous le savions si loin.

Ce soir-là, nous regardions le journal des sports que Billy avait voulu suivre pour les résultats des matchs de basket. Il n'avait pas encore été question de basket et nous n'étions pas très attentifs, quand soudain, l'opéra de Sydney a envahi le grand écran de papy et mamie. Nous nous sommes tus d'un coup, saisis par la puissance de l'image.

Bien sûr, j'avais souvent revu des photos de l'opéra depuis notre départ de l'Australie. J'avais d'ailleurs réalisé un exposé en classe, en anglais, sur le sujet. Mais cette fois-ci, l'opéra s'est invité chez nous sans que nous nous y attendions, et nous sommes restés à le contempler en silence, comme hypnotisés.

Il était exactement semblable à mes souvenirs, posé sur l'eau, lumineux sous le soleil, prêt à s'envoler et, derrière lui, Harbour Bridge s'arrondissait en un arc élégant.

Cela n'a duré que quelques secondes, puis la caméra a zoomé sur le pont tandis que le journaliste déclarait :

– L'événement n'aura lieu que dans plusieurs mois, mais, à Sydney, on s'y prépare déjà. Plus de trente mille concurrents sont attendus pour l'un des marathons les plus prisés au monde…

Mes oreilles bourdonnaient tandis que des images du futur parcours du marathon défilaient sur l'écran et que des bribes de phrases me parvenaient : « un tracé complètement inédit » ; « sur les falaises » ; « dans le jardin botanique » ; « bien sûr, le lieu d'arrivée, lui, ne change pas : ce sera le parvis du célèbre opéra dessiné par… »

Le reportage s'est terminé sans que je m'en aperçoive. Un autre sujet a pris le relais.

– Ah! Le basket! Quand même... s'est exclamé mon frère.

Je me suis levé brusquement et j'ai quitté la pièce.

J'étais bouleversé.

Les images de Sydney, si belles sur le grand écran, avaient réveillé tant de souvenirs!

Mille pensées tourbillonnaient dans ma tête et je me raccrochais à une seule, courir ce marathon, tout en sachant que c'était impossible.

On ne court pas un marathon à treize ans, Sydney était à l'autre bout du monde, et j'avais bien compris que maman n'avait pas l'intention de retourner un jour en Australie.

Cette nuit-là, je n'ai pas dormi.

J'ai pleuré.

Partir ?

Les quelques images du reportage avaient fait voler en éclats le fragile équilibre que j'avais réussi à mettre en place depuis notre arrivée en France.

Toutes les années passées là-bas revenaient en force, et je prenais soudain conscience d'une chose : pendant que moi j'étais ici, à courir le long du canal et à aller au collège, là-bas, tout continuait. Les vagues s'écrasaient toujours sur les rochers ; les plages s'allongeaient

toujours sous le soleil ; la ville bruis-
sait toujours des millions de vies de ses
habitants ; notre maison se dressait toujours dans le quartier de Clovelly, et les
tombes du cimetière Waverley étaient
toujours tournées vers l'océan.

Et peut-être y avait-il un autre papa et
ses fils qui couraient sur les passerelles
les matins de grand vent, et il ne s'agissait plus de nous.

Les jours suivants ont été difficiles.
J'ai perdu l'appétit.

Quand papy m'a demandé si nous
allions courir, j'ai refusé. Mes jambes
étaient de plomb, comme ma tête,
comme mon cœur, et je m'enfonçais au

fond d'un gouffre sans fin. Nous devions partir en montagne pour les vacances de printemps, je ne voulais pas y aller. Je resterais ici, à attendre que tout s'arrête. Car tout finirait bien par s'arrêter un jour et j'avais hâte que ce jour arrive.

J'ai perdu deux kilos en une semaine et ma peau a pris une curieuse couleur cireuse.

– Qu'est-ce que tu as, Glenn ? s'est étonnée maman. Tu ne te sens pas bien ?

– Il est en pleine croissance, a affirmé mamie. C'est normal, à son âge.

Papy n'a rien dit.

Quelques jours plus tard, alors que je rentrais du collège plus tôt que prévu, j'ai surpris une conversation.

Maman et papy étaient dans le salon. Ils ne m'ont pas entendu arriver et je suis resté figé dans l'entrée à les écouter.

– Tu n'y penses pas ! protestait maman. C'est à l'autre bout du monde, tu ne te souviens pas ? Rappelle-toi comme tu t'es plaint de la longueur du voyage, chaque fois que vous êtes venus ! Et tu voudrais recommencer ?

– Eh bien, la dernière fois, je n'ai pas trouvé ça si long, a déclaré papy.

– Et Jimmy ? Tu as oublié ce qui est arrivé à Jimmy ? Et tu voudrais que j'autorise un de mes fils à monter à bord d'un avion ? J'ai suffisamment tremblé quand nous sommes revenus en France.

– Ils le feront un jour ou l'autre…

– Quoi qu'il en soit, à quoi rime cette idée ? a repris maman. De toutes les compétitions auxquelles il a participé, il n'en a gagné aucune.

– Il ne court pas pour gagner, a répondu la voix calme de papy.

– Pourquoi court-il, alors ? s'est énervée maman.

– C'est précisément là-dessus que tu devrais t'interroger.

Il y a eu un silence, puis maman a repris d'une voix que je ne lui connaissais pas :

– Je ne veux plus parler du temps que j'ai passé là-bas. Je ne veux même plus y penser.

– Je croyais que tu y avais été heureuse, pourtant, a dit papy doucement.

– Justement…

La voix de maman s'est brisée.

Je me suis glissé dans ma chambre, le cœur battant. Moi qui pensais qu'elle avait tout oublié !

Puis une énorme bouffée d'espoir m'a envahi. Si j'avais bien compris, papy avait évoqué l'éventualité d'un voyage en Australie !

Le pacte

J'ai repris un peu d'appétit et, le dimanche suivant, quand papy m'a proposé d'aller courir, j'ai accepté.

Les bourgeons des platanes éclataient et les oiseaux pépiaient dans les haies. Quant à l'eau du canal, elle absorbait le ciel et prenait déjà ses couleurs d'été.

Je courais légèrement, à longues enjambées, retrouvant avec plaisir les sensations que j'aimais. Papy guettait mon retour, debout près d'une péniche, le chronomètre en main.

– Tu as battu ton record, a-t-il constaté lorsque je me suis arrêté près de lui.

J'ai étiré mes jambes, mes chevilles, mes pieds, mes bras, puis j'ai commencé à effectuer des rotations avec ma tête.

C'est alors que papy a lancé :

– Tu sais, les organisateurs de marathons associent souvent à la course principale un semi-marathon, et aussi un parcours encore plus court pour ceux qui ne veulent ou ne peuvent pas accomplir une grande distance. En général, ce dernier est ouvert aux plus jeunes…

Je me suis figé et je me suis tourné vers lui.

Non, je ne savais pas.

Je ne m'étais jamais penché sur la question.

– Ça te dirait d'essayer ? a-t-il questionné.

Je l'ai regardé d'un air interrogatif.

– Je pense au marathon de Sydney. Tu sais ? Celui qui se courra le 23 septembre. Il propose une course comme celle dont je viens de parler. Elle s'appelle la Bridge Run et fait un peu plus de neuf kilomètres…

Ma tête tournait et des étoiles clignotaient devant mes yeux ; j'étais prêt à m'évanouir.

– Tu m'entends, Glenn ?

Je me suis repris et j'ai planté mes yeux dans ceux de papy. Son regard était grave et profond et j'ai compris qu'il ne plaisantait pas.

– Tu veux essayer ? a-t-il répété.

– Yes, ai-je murmuré.

Même papy connaissait le sens de ce mot. Il m'a pris les mains et les a serrées très fort.

Nous venions de conclure un pacte.

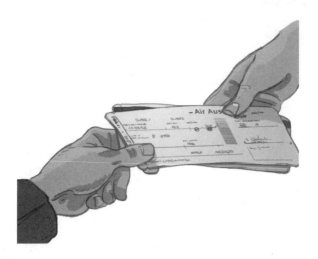

Convaincre

J'ai su plus tard les trésors d'énergie et de persuasion que papy avait dû déployer pour obtenir ce résultat.

Il avait fallu convaincre maman, puis mamie.

Chacun de leurs arguments était un nouvel obstacle à abattre.

Maman :

– La rentrée des classes aura eu lieu et la quatrième est un niveau important.

Papy :

– Nous demanderons une déroga-
tion au collège. De toute façon, nous ne
serons pas absents très longtemps et il
ne s'agit pas de vacances.

Mamie :

– À ton âge, partir seul avec un enfant,
tu crois que c'est raisonnable ?

Papy :

– Glenn n'est plus un enfant et moi,
je ne suis pas si vieux, n'exagère pas !
D'ailleurs, je m'encroûte un peu, ici. Ça
me fera du bien de prendre l'air.

Maman :

– Et le coût du voyage, tu y as pensé ?

Papy :

– Ce sera mon cadeau d'anniversaire.

Mamie :

– C'est un très beau cadeau. Et pour
Billy et Tom, que feras-tu ?

Papy :

– Ne t'inquiète pas. Je m'en occuperai
le moment venu.

Maman :

– Comment vas-tu t'en sortir ? Tu ne parles pas un mot d'anglais.

Papy :

– C'est vrai. Mais sur ce plan, Glenn, lui, se débrouille très bien. Nous sommes complémentaires !

Mamie :

– Il faut certainement s'inscrire longtemps à l'avance pour ce genre de manifestation. Est-ce que ce n'est pas trop tard pour s'en préoccuper ?

Papy :

– Glenn est déjà inscrit.

Moi, je n'ai commencé à réaliser que le jour où papy m'a tendu le billet électronique en m'expliquant :

– Nous partons le 17 et, avec le décalage horaire, nous arrivons le 19. Le marathon se court le 23, ça te laisse trois jours pour te remettre du voyage. Nous repartirons le 26. Ton passeport est toujours valable et ta mère fera une autorisation de sortie du territoire.

Je regardais le papier sans y croire. Et pourtant, tout avait l'air vrai. Il y avait un numéro de billet imprimé à côté de mon nom et de mon prénom, les dates correspondaient à celles que papy venait d'énoncer et l'itinéraire était détaillé : Toulouse-Londres ; Londres-Singapour ; Singapour-Sydney.

Puis j'ai réalisé que jamais je n'avais participé à une manifestation aussi importante ! J'ai tiré mon calepin de ma poche et griffonné :

« Tu sais, il n'y a aucune chance pour que je gagne. »

– Ça n'a pas d'importance, a répliqué papy.

Il m'a adressé un clin d'œil :

– Mais on va quand même s'entraîner !

L'entraînement

Je garde un curieux souvenir de toute cette période, entre le moment où j'ai tenu mon billet d'avion dans les mains et celui où nous sommes partis pour l'aéroport.

J'avais l'impression que les jours s'écoulaient lentement et que jamais nous n'atteindrions la date du 17 septembre. Et pourtant, j'ai aujourd'hui le sentiment que le temps a filé en un éclair.

Papy n'avait pas plaisanté en déclarant : « On va quand même s'entraîner. »

Nous nous sommes entraînés.

Je me suis entraîné sous sa direction.

Et papy était de plus en plus professionnel.

Il avait acheté des manuels et était allé assister à des cours d'athlétisme.

Il m'a imposé des exercices, comme courir en montant haut les genoux ou enchaîner des foulées en bondissant et en effectuant des sauts de grenouille.

Il m'a emmené sur les hauteurs de Toulouse, dans des endroits où il y a des escaliers. Je les montais, les descendais, les remontais, les redescendais…

J'ai gravi toutes les pentes des coteaux de Pech-David à petites foulées, doucement, puis plus vite, puis à nouveau doucement.

J'ai sauté à pieds joints des haies improvisées par papy avec de vieux matériaux dénichés au fond du garage.

J'ai couru des mille mètres à toutes petites foulées, en dessous de ma vitesse habituelle.

Je me suis allongé dans le jardin pour effectuer des séries d'abdominaux.

– Musculation et tonicité du corps, a expliqué laconiquement papy à Tom qui me contemplait d'un air dégoûté, ravi de ne pas être concerné par l'exercice.

Papy a aussi mesuré des distances le long du canal : trois cents mètres, quatre cents, cinq cents. Je devais les enchaîner à vive allure, avec un temps de récupération très court entre chaque distance, puis recommencer en sens inverse, cinq cents mètres, quatre cents, trois cents. Je m'arrêtais le souffle court et me pliais en deux, épuisé.

– Marche ! criait papy. Et n'oublie pas de respirer !

Quand je l'interrogeais sur ce curieux exercice, il répondait :

– Tu dois aussi travailler la vitesse et les changements de rythme. Ces longs sprints musclent ton cœur et habituent tes jambes à un effort soutenu. Tu comprendras mieux ton corps si tu sais de quelle façon il réagit à une allure comme celle-ci.

En été, nous sommes partis en vacances à l'océan.

Chaque jour, papy et moi nous nous levions à l'aube. Nous gagnions la plage qui était déserte. Je courais sur le sable humide, à la limite de la mer, et des lambeaux d'écume se déposaient sur mes pieds.

Puis je courais le long de la dune et je peinais, arrachant chaque foulée à l'emprise du sol.

Nous rentrions pour le petit-déjeuner et, en fin d'après-midi, nous repartions, cette fois dans la forêt, le long de pistes tracées au milieu des arbres.

Jamais je ne me suis plaint.

Jamais je n'ai entendu papy protester de nos levers matinaux ni du rythme que nous nous imposions. Pas une seule fois il n'a accepté de rester à la maison que nous avions louée et de me laisser aller courir seul.

Maman et mamie n'intervenaient pas dans nos emplois du temps. Elles s'étaient fait une raison, je pense.

Le principe du voyage était admis et le sujet était clos. J'aurais aimé pourtant parler de l'Australie et de Sydney avec maman. Le moment n'était pas encore venu et c'est dommage, car j'avais plein de questions dans la tête. Est-ce que je reconnaîtrais ce pays? Les souvenirs que j'en avais étaient-ils exacts? Ne serais-je pas déçu?

Toutes ces interrogations, je les conservais pour moi. Inutile de m'en ouvrir à Billy. Ni la course ni notre voyage ne l'intéressaient. Il avait d'autres préoccupations, notamment la fille de la villa voisine. Quant à Tom, il n'avait jamais aimé courir et il passait son temps à jouer avec une bande d'enfants rencontrés à la plage. D'ailleurs, il semblait avoir gardé peu de souvenirs de l'Australie.

Les vacances se sont achevées et nous sommes rentrés à Toulouse. Puis il y a eu la rentrée des classes. Puis le jour du départ est arrivé. Maman et mamie nous ont conduits à l'aéroport et ont abreuvé papy de recommandations qu'il a écoutées avec patience.

Moi, j'étais tendu comme la corde d'un arc. Je ne parvenais pas à y croire. Je me disais qu'un incident allait survenir à la dernière minute et nous retenir.

Mais non.

Nous nous sommes retrouvés dans la salle d'embarquement. Tous les deux, papy et moi.

J'étais toujours inquiet.

Je n'y ai vraiment cru qu'à Londres, lorsque l'appel pour le vol de Singapour a résonné. Douze heures de vol, plus les huit entre Singapour et Sydney, là, c'était du sérieux.

Lumineux

La lumière est ce que j'ai reconnu en premier.

Quand nous avons émergé du train qui relie l'aéroport à la ville, je suis resté debout sur le trottoir, hébété, mon sac posé à mes pieds. Le ciel était bleu et le soleil drapait les immeubles d'une enveloppe si lumineuse que j'ai cligné des yeux.

J'avais oublié la vivacité de l'air et des couleurs, et l'émotion m'a submergé.

– Tu viens ? a dit papy en me touchant l'épaule.

Je l'ai suivi.

Il avait réservé une chambre dans une pension à la limite de Newtown, un quartier que je ne connaissais pas. Une chambre très simple : des lits jumeaux, une salle de bains minuscule, la pièce du petit-déjeuner qui ouvrait sur un jardin clos de murs, et la rumeur de la ville, juste derrière.

Nous nous sommes douchés, nous avons déballé nos affaires et nous nous sommes regardés. Nous n'avions pas sommeil. Un bus s'arrêtait à deux rues de la pension. Nous l'avons emprunté et il nous a conduits droit à Circular Quay.

La lumière était aveuglante et papy a sorti ses lunettes de soleil tandis que je rabattais la visière de ma casquette.

J'étais sous le choc.

À Toulouse, au bord du canal, la lumière était douce, tout en nuances. Elle éclairait les choses avec délicatesse, créant ici une ombre mauve, là une violette, là encore une autre teintée de gris. Ici, il n'y avait pas cette demi-mesure ; la lumière s'imposait vigoureusement, avec gaieté. Elle découpait le sol en ombres sombres et en flaques de clarté. Grâce à elle, les gratte-ciels étincelaient et l'eau de la mer s'illuminait.

Nous avons marché comme dans un rêve. Nous ne nous étions pas concertés, mais nous savions où nous allions, et nous avons avancé du même pas vers l'opéra.

Ce jour-là, il était blanc et les ailes de ses toits frémissaient sous le soleil comme s'il nous attendait avec impatience.

Seul

Le lendemain, nous avons dormi tard et pris un copieux petit-déjeuner.

Puis nous sommes allés reconnaître le lieu où se tiendrait le départ de la course, à Milsons Point.

– Pas d'entraînement aujourd'hui, avait dit papy. Nous marcherons d'un bon pas, cela suffira.

Le soir, au dîner, j'ai commencé à négocier. Il nous restait deux jours avant la course. Sur ces deux jours, j'en voulais un pour moi.

– Une demi-journée, a accordé papy. Tu te rends compte ? Je ne parle pas un mot d'anglais. Tu ne peux pas m'abandonner dans cette ville une journée entière ! J'ai trop besoin de toi.

J'ai souri. Je savais que c'était papy qui ne voulait pas me laisser seul toute une journée dans Sydney ! Il était bien trop inquiet pour moi. Mais il était conscient que jamais je ne pourrais courir sans avoir accompli ce pèlerinage, sans avoir renoué le lien qui s'était cassé quand nous avions quitté ce pays.

– Tu es sûr que tu sauras te repérer ? Tu ne vas pas te perdre ?

J'en étais sûr et certain. J'avais déjà vérifié les numéros de bus et, sur place, je me reconnaîtrais.

Glenn et moi

Quand j'ai avancé vers Burrows Park, j'ai ressenti une sensation curieuse.

C'était moi, Glenn, à 13 ans et demi, juste arrivé de France, m'apprêtant à participer à la Bridge Run du marathon de Sydney.

C'était moi, Glenn, à 8 ans, foulant ce même sol à côté de papa, avec Billy et Tom qui se plaignait d'avoir mal aux pieds, ou faim, ou soif ou juste d'être fatigué.

Et c'était encore moi, Glenn, à 10 ans, partageant avec papa l'ivresse de courir vers l'océan, à la rencontre des vagues venues de l'Antarctique.

Et c'était moi aussi, Glenn, à 10 ans, 8 mois et 3 jours, apprenant que papa ne reviendrait pas.

Quel était le vrai Glenn dans tout cela ? Je l'ignore.

Ce que je sais, c'est que ce sont tous ces Glenn à la fois qui se sont mis en route, qui ont trottiné au bord des jeux de boules, qui se sont engagés sur les passerelles accrochées à la falaise, qui ont longé le cimetière de Waverley, guettant la sonnerie improbable d'un téléphone portable.

Ce sont tous ces Glenn à la fois qui se sont enivrés de l'air marin, du fracas des vagues sur les rochers et du cri des oiseaux, avant de se laisser tomber sur le sable de Bronte Beach, les bras en croix, le visage tourné vers le ciel et les yeux embués de larmes.

Ce sont tous ces Glenn à la fois qui ont rejoint papy en fin d'après-midi, qui ont répondu d'un regard rassurant à l'interrogation muette qu'ils lisaient dans ses yeux, et qui se sont préparés, le jour suivant, avec une grande concentration, à la course qui les attendait.

Ce sont tous ces Glenn à la fois qui se sont retrouvés au matin du 23 septembre, à Milsons Point, un dossard sur le dos, à sautiller sur place en attendant le départ.

Je sais aujourd'hui qu'il n'y avait qu'un seul Glenn ; un Glenn en devenir, tiraillé entre ses deux pays, avec ce gros désordre dans sa tête et deux langues qui se livraient un combat sans merci.

Papa

Nous étions des milliers, trente-quatre mille deux cent quatre-vingt-dix-sept partants pour être précis, dont seize mille cent seize inscrits, comme moi, pour la Bridge Run.

J'étais perdu dans la cohue et je ne voyais plus papy qui m'avait accompagné jusque-là. La tête me tournait, et je me demandais comment nous allions nous élancer tous en même temps et rejoindre Bradfield Highway.

Papy m'avait pourtant expliqué que les départs étaient échelonnés en fonction de la performance indiquée par le coureur au moment de son inscription.

– Toi, tu partiras avec le premier groupe, a-t-il précisé. Tu ne t'étonneras pas, il y aura des jeunes comme toi, mais surtout beaucoup d'adultes.

J'étais surpris. Le premier groupe à partir était celui des coureurs qui annonçaient les meilleures performances... Quel temps papy avait-il donc donné pour moi ?

– Juste celui dont tu es capable, avait-il répondu.

« C'est injuste pour les autres, ce système, avais-je écrit sur mon calepin. S'ils partent après, ils n'ont que peu de chances d'arriver avant ! »

– C'est prévu. Une puce électronique est fixée à la chaussure de chaque coureur. Tu verras : quand tu franchiras la ligne de départ, tu passeras sur une sorte de tapis et là, ta puce se déclenchera et enregistrera ton heure exacte de départ. À l'arrivée, ce sera la même chose. C'est ce temps-là qui compte ensuite dans le classement.

À présent, j'avais la puce électronique incrustée dans l'une de mes baskets et j'attendais.

Puis le signal de départ de mon groupe a retenti. La foule autour de moi s'est mise en mouvement et je me suis laissé porter. J'ai très vite repris mes esprits. Au croisement avec Lavender Street, j'avais trouvé mes marques et je remontais, me frayant un chemin parmi les autres coureurs.

– Pars doucement, m'avait conseillé papy. Économise-toi. La course est longue, l'important est de conserver le rythme.

Je ne suis pas parti doucement. J'avais trop hâte de gagner Bradfield Highway qui conduisait directement à Harbour Bridge, et je sentais une énergie sans fin parcourir mes muscles.

Je courais à longues enjambées, le buste droit, la tête levée, ménageant mon souffle.

Je me suis à peine rendu compte que nous étions déjà arrivés sur Harbour Bridge.

La circulation avait été interrompue et c'était une véritable marée humaine qui déferlait sur la largeur du pont en une énorme vague.

J'évoluais au milieu de coureurs de toutes tailles et de toutes nationalités ; j'étais l'un d'eux, et j'avançais, traçant mon chemin au milieu des jambes et des corps en mouvement, au-dessus de la baie de Sydney, au-dessus de l'opéra, au-dessus de la ville.

C'est au milieu du pont que je l'ai entendue.

La voix de papa.

Il parlait en français, avec son drôle d'accent qui nous amusait tant, et j'ai éclaté de rire.

– Tu te rappelles, Glenn, a-t-il dit. Les toits de l'opéra, c'est comme des ailes de géant…

Il s'est tu et je suis resté attentif car je sentais qu'il n'en avait pas terminé. Il a en effet repris :

– Ton cœur aussi, Glenn, c'est comme deux ailes. Écoute-le dans ta poitrine. Tu les sens ? Elles s'ouvrent, elles se ferment ; elles s'ouvrent, elles se ferment ; elles s'ouvrent…

Je retenais mon souffle. Mes jambes couraient seules, avalant la longueur de Harbour Bridge, dépassant mes concurrents et, dans ma poitrine, je sentais les deux ailes de mon cœur grandir.

– Il y a beaucoup de place, Glenn, dans un cœur comme celui-ci.

J'ai passé le pylône sud de Harbour Bridge, amorcé la descente et suivi l'itinéraire qui nous a conduits vers Darling Harbour, avant de nous ramener sur Hickson Road.

Quand j'ai passé Dawes Point, j'évoluais parmi les coureurs de tête. L'opéra était en face, de l'autre côté de l'eau, ses toits déployés, prêt à s'envoler.

Moi, j'avais des ailes aux pieds, des ailes de géant. Et j'avais deux ailes dans mon cœur qui n'en finissaient pas de grandir. La voix de mon père s'était tue, mais il était à mes côtés, comme ce jour où nous étions venus ici, lui et moi, et où nous avions marché tous les deux, du soleil plein les yeux.

Quand je suis arrivé devant le musée d'art contemporain, il n'y avait plus aucun coureur devant moi. Mes pieds se posaient légèrement sur le sol, l'un après l'autre, et je guettais les plaques rondes. Une plaque, un écrivain dont le souvenir était inscrit dans le métal. Mais hors de question que je m'arrête pour lire ! Mes ailes m'emportaient plus loin.

J'ai tourné sur ma gauche le long des pontons d'embarquement des bateaux qui desservent la baie de Sydney. Les plaques me guidaient toujours.

J'ai encore tourné à gauche sur le grand quai. Massée de chaque côté, la foule m'acclamait. Je ne l'entendais pas. C'était la dernière ligne droite et, au bout, l'opéra se dressait.

Au fur et à mesure que j'approchais, il se transformait. Ses toits se chevauchaient, se divisaient, se rassemblaient ou s'épanouissaient. Les ailes de mes pieds lui répondaient. Elles occupaient tout l'espace du quai. Et celles de mon cœur grandissaient encore.

– Je ne veux pas oublier la langue de mon père, la langue du pays où je suis né.

Cette certitude est arrivée dans ma tête avec une telle fulgurance que j'ai failli m'arrêter net.

Mais mes ailes étaient trop largement ouvertes, elles m'ont poussé en avant tandis que la voix de papa disait :

– Tu ne l'oublieras pas.

La ligne d'arrivée était à quelques mètres, au pied des marches de l'opéra.

Je l'ai franchie sans ralentir.

J'ai surpris le visage des juges qui m'ont regardé passer, ébauchant un geste pour me retenir. Deux personnes se tenaient non loin d'eux. Papy et... gran'pa Joey ! D'un même mouvement, ils m'ont adressé un signe identique. J'ai réalisé qu'ils se connaissaient à peine tous les deux et qu'aucun ne parlait la langue de l'autre ! Je me suis également aperçu à quel point papa ressemblait à gran'pa Joey.

Mes ailes ne s'arrêtaient plus. Elles m'ont porté sur les marches de l'opéra que j'ai gravies quatre à quatre. Elles étaient désertes, je les avais pour moi. Parvenu en haut, je me suis enfin arrêté.

Je me suis retourné vers le quai, vers les spectateurs, vers mes deux grands-pères, vers les autres coureurs qui approchaient à leur tour de la ligne d'arrivée, j'ai levé les bras en signe de victoire et j'ai crié, en anglais d'abord :

– I did it ! Gran'pa, I did it !

Puis en français :

– Je l'ai fait ! Papy, je l'ai fait !

Demain

Le lendemain, papy a acheté tous les journaux.

Il ne pouvait en déchiffrer aucun, mais il lisait mon nom dans les résultats. Sur certains, il y avait même ma photo !

Les deux jours qui ont suivi, nous avons déambulé, mes deux grands-pères et moi, dans les rues de Sydney. Nous avons passé du temps au bord de l'océan, nous sommes allés au restaurant, nous avons mangé des glaces.

Le 26 en fin de matinée, gran'pa Joey nous a conduits à l'aéroport. Au moment de nous séparer, il a promis de nous rendre visite en France.

– Même si je déteste l'avion, a-t-il précisé.

Car il était venu en voiture depuis son ranch du Territoire du Nord, et une longue route l'attendait pour rentrer chez lui, une route de plusieurs jours.

À mon arrivée en France, une nouvelle organisation s'était mise en place dans ma tête. Quand je pensais en anglais, je parlais en anglais, et inversement. Et ça fonctionnait.

C'est maman qui a été surprise lorsque je l'ai interpellée dans sa langue ! Elle n'en revenait pas. Pas plus que mes camarades de collège et mes professeurs.

J'ai eu 14 ans, et puis 15 et puis 20.

Je n'ai pas cessé de courir. Je me suis inscrit dans un club, mais je dois reconnaître que je n'ai jamais eu un aussi bon entraîneur que papy. C'est lui qui a ouvert les ailes de mon cœur, celles qui me portent chaque fois que je participe à une course.

J'ai 22 ans à présent et demain, je m'envole pour l'Australie.

C'est la première fois que j'y retourne depuis mon formidable voyage avec papy.

Le marathon de Sydney se court dans une semaine et je suis inscrit. Je vais retrouver la lumière et l'océan ; je vais revoir l'opéra posé sur l'eau, prêt à s'envoler ; je vais m'élancer à l'assaut de Harbour Bridge avec des milliers de concurrents venus du monde entier. Je vais avaler le pont, à longues foulées, le buste droit, la tête levée, et je sais que juste au milieu, la voix de papa murmurera à mon oreille :

– Des ailes de géant, Glenn. Des ailes de géant...

 L'AUTEUR

Hélène Montardre est née dans la région parisienne. Après des études supérieures, elle exerce différents métiers : enseignante, guide culturelle, éditeur. Actuellement, elle vit près de Toulouse.

Elle aime écrire bien sûr, mais elle aime aussi la lecture, les voyages, le cinéma et la nature.

Hélène Montardre a notamment écrit *L'agenda*, *Amies sans frontières*, *Les chevaux n'ont pas d'ombre*, *Un chien contre les loups* et la série *Oceania* pour Rageot.

☁ L'ILLUSTRATEUR

Yann Tisseron est né à Lyon en 1980. Après des études artistiques à l'école Émile-Cohl de Lyon et un diplôme de dessinateur-concepteur, il s'oriente vers l'illustration puis vers la bande dessinée. Inspiré par les écoles américaine et italienne, il puise ses influences dans le monde entier et développe son imaginaire entre réalisme et stylisation. Chaque jour est pour lui l'occasion de découvrir une nouvelle technique, un nouveau style graphique.

Retrouvez la collection
Rageot Romans
sur le site www.rageot.fr

RAGEOT s'engage pour
l'environnement en réduisant
l'empreinte carbone de ses livres.
Celle de cet exemplaire est de :
476 g éq. CO_2
Rendez-vous sur
www.rageot-durable.fr

PAPIER À BASE DE
FIBRES CERTIFIÉES

Achevé d'imprimer en France en septembre 2014
sur les presses de l'imprimerie Hérissey
Couverture imprimée par l'imprimerie Boutaux (28)
Dépôt légal : mars 2014
N° d'édition : 6204 - 02
N° d'impression : 123190